YR AWDURON

Ganwyd Steve Barlow yn Crewe, Lloegr. Mae e wedi gweithio fel athro, actor, rheolwr llwyfan a phypedwr yn Lloegr, ac yn Botswana, Affrica. Fe gwrddodd â Steve Skidmore mewn ysgol yn Nottingham, a dechreuodd y Ddau Steve ysgrifennu gyda'i gilydd. Mae Steve Barlow yn byw yng Ngwlad yr Haf erbyn hyn, ac yn hwylio cwch o'r enw *Which Way*, oherwydd, fel arfer, does ganddo ddim syniad i ble mae e'n mynd.

Mae Steve Skidmore yn fyrrach ac yn llai blewog na Steve Barlow. Ar ôl pasio rhai arholiadau yn yr ysgol, aeth i Brifysgol Nottingham. Treuliodd y rhan fwyaf o'i amser yno yn gwneud ymarfer corff ac yn gweithio dros yr haf mewn swyddi rhyfedd, gan gynnwys cyfri caeadau pasteiod (wir). Hyfforddodd fel athro, cyn ymuno gyda Steve Barlow a dod yn awdur llawn amser.

Mae rhagor o wybodaeth am y Ddau Steve yma:
www.the2steves.net

YR ARLUNYDD

Mae Sonia Leong yn byw yng Nghaergrawnt, Lloegr, ac mae hi'n arlunydd *manga* enwog. Enillodd gystadleuaeth 'Sêr Newydd Manga' Tokyopop (2005-06) a'i nofel graffeg gyntaf oedd *Manga Shakespeare: Romeo and Juliet*. Mae hi'n aelod o *Sweatdrop Studios* ac mae ganddi ormod o wobrau o lawer i sôn amdanynt fan hyn.

Ewch i wefan Sonia: www.fyredrake.net

Arwr y Groegiaid

Steve Barlow – Steve Skidmore

Darluniau gan Sonia Leong

Addasiad gan Catrin Hughes

RILY

CYFRES ARWR – ARWR Y GROEGIAID
ISBN 978-1-904357-72-8

Rily Publications Ltd
Blwch Post 20
Hengoed
CF82 7YR

Cyhoeddwyd am y tro cyntaf gan Franklin Watts yn 2007

Cyhoeddwyd yn wreiddiol yn Saesneg fel
iHero – Gorgon's Cave gan Franklin Watts
argraffnod o Hachette Children's Books, un o gwmnïau Hachette UK

Addasiad gan Catrin Hughes
Hawlfraint yr addasiad © Rily Publications Ltd 2011

Hawlfraint y Testun © Steve Barlow a Steve Skidmore 2007
Darluniau © Sonia Leong 2007
Cynllun y clawr gan Jonathan Hair

Noddwyd gan Lywodraeth Cynulliad Cymru

Cysodwyd gan Wasg Dinefwr, Llandybïe, Sir Gaerfyrddin

www.rily.co.uk

Argraffwyd a rhwymwyd yn y Deyrnas Unedig
gan CPI Group (UK) Ltd, Croydon, CR0 4YY

Dewis dy dynged...

Mae'r llyfr hwn yn wahanol i lyfrau eraill y
byddi di wedi eu darllen. *Ti* yw arwr yr antur y
tro hwn. Ti sy'n penderfynu sut mae'r antur yn
datblygu.

Mae rhif ar bob adran o'r llyfr. Ar ddiwedd y
rhan fwyaf o'r adrannau, bydd gen ti ddewis.
Bydd hynny'n dy arwain di i adran wahanol o'r
llyfr.

Bydd rhai dewisiadau yn dy helpu i orffen yr
antur yn llwyddiannus. Ond rhaid i ti fod yn
ofalus – mae dewis anghywir yn gallu bod
yn beryg bywyd!

Os byddi di'n methu, dechreua eto a dysga o
dy gamgymeriadau.

Os byddi di'n dewis yn gywir, fe wnei di
lwyddo.

Paid â methu, bydda'n arwr!

Rwyt ti'n byw yng Ngwlad Groeg amser maith yn ôl, yng nghyfnod y chwedlau. Yng nghyfnod Ercwlff, Thesews a Jason; cyfnod Pegasws, y Minotawr a'r chwilio am y Cnu Aur.

Rwyt ti'n anturiaethwr. Rwyt ti wedi ymladd ac ennill llawer o frwydrau yn erbyn rhyfelwyr ac angenfilod.

Mae Brenin Dinas Thebau wedi gofyn am dy help. Flynyddoedd lawer yn ôl, fe wnaeth yr arwr Persews ladd y Gorgon Medwsa. Ond mae gelynion newydd yn byw yn ogof Medwsa erbyn heddiw: chwaer Medwsa, y Gorgon Ewriale; a'r anghenfil Teiffon.

Fel ei chwaer, mae gan Ewriale nadroedd yn lle gwallt. Mae unrhyw un sy'n edrych yn ei llygaid yn marw. Neidr o'r canol i lawr yw'r anghenfil Teiffon, a nadroedd sydd ganddo yn lle bysedd.

Rwyt ti'n teithio i'r palas brenhinol i gael gwybod beth yw problem Brenin Thebau.

- **Nawr cer i adran 1**

1

Mae'r Brenin yn poeni, ac mae e wedi blino,
ond mae ei lais yn gryf.

"Mae Teiffon ac Ewriale wedi herwgipio fy
unig ferch, y dywysoges Theia," mae e'n egluro.
"Yn ystod y dydd, maen nhw'n llechu yn Ogof
y Gorgon, ymhell o dan y ddaear. Ond gyda'r
nos, maen nhw'n dod allan i reibio'r wlad, gan
ladd a bwyta dynion, merched a phlant.

"Mae sawl arwr wedi mynd i geisio dinistrio'r
bwystfilod. Does yr un ohonyn nhw wedi dod
yn ôl. Ti yw'r unig obaith. A wnei di fynd i
Ogof y Gorgon, i ladd yr angenfilod ac achub fy
merch?"

- **Os wyt ti'n gwrthod, cer i 22**
- **Os wyt ti'n derbyn, cer i 35**

2

Mae'r anghenfil yn ymosod wrth i ti estyn dy gleddyf. Rwyt ti'n anelu at Teiffon, ond mae e'n gyflym ac yn glyfar.

Mae ei ddwylo'n estyn amdanat ti. Pen neidr sydd ar ddiwedd pob un o'i fysedd, ac mae dannedd y nadroedd yn sgleinio gyda gwenwyn marwol. Byddai un crafiad yn ddigon i dy ladd di. Fyddi di ddim yn gallu osgoi'r bysedd nac amddiffyn dy hun rhagddyn nhw am llawer hirach.

- **Os wyt ti'n penderfynu ymosod ar gorff Teiffon, cer i 40**
- **Os wyt ti'n penderfynu ymosod ar freichiau Teiffon, cer i 27**

3

Rwyt ti'n gwagio'r sach fwyd sydd gennyt ar gyfer dy siwrne, ac yn ei llenwi gydag aur a thlysau.

Ond wrth i ti droi i adael yr ogof, mae haid o greaduriaid ofnadwy yn hedfan atat. Mae ganddyn nhw adenydd ystlum, pen ci, a nadroedd yn eu gwallt. Y Candrylliaid yw'r rhain, ac maen nhw'n cario chwipiau i gosbi lladron a llofruddwyr.

Maen nhw'n heidio o dy gwmpas. "Y ffŵl barus!" maen nhw'n gweiddi. "Sut all y trysor helpu i achub y dywysoges?"

Maen nhw'n dy chwipio'n ddidrugaredd nes bod y boen yn ormod i ti.

• **Roeddet ti'n rhy farus. Dwyt ti'n fawr o arwr. Os wyt ti eisiau dechrau eto, cer i 1**

4

Rwyt ti'n gollwng dy waywffon a dy darian, ac yn ceisio torri cadwynau Theia gyda dy gleddyf.

Ond yna, rwyt ti'n clywed sŵn hisian tu ôl i ti. Mae'r dywysoges yn sgrechian ac yn cau ei llygaid. "Ewriale!" mae hi'n gweiddi. "Mae'r gorgon yma!"

Rwyt ti'n troi'n gyflym, ac yn codi dy gleddyf.

• **Cer i 34**

5

Wrth i ti fynd i lawr y coridor, rwyt ti'n clywed
sŵn griddfan. Rwyt ti'n symud ymlaen yn
ofalus, ac yn dod o hyd i ddyn wedi ei anafu.
Mae e'n gwisgo lifrai rhyfelwr o wlad Groeg.

   "Roeddwn i am geisio achub y dywysoges,"
mae e'n dweud wrthyt, "ond fe ymosododd
Cerberws arna i. Fe lwyddais i ddianc, ond mae
gen i anafiadau difrifol. Rwy'n rhy wan i fynd
yn bellach. Os gweli di'n dda, helpa fi."

- **Os wyt ti'n aros i helpu'r rhyfelwr, cer i 19**
- **Os wyt ti'n penderfynu fod dy dasg yn rhy
bwysig i aros, cer i 49**

6

Rwyt ti'n ysgwyd dy ben. "Rwy'n fodlon mynd
i achub y dywysoges, ond dydw i ddim yn credu
mewn dweud ffortiwn na phroffwydoliaeth.
Beth bynnag, mae'n rhy bell i fynd at yr Oracl.
Os ydw i am helpu'r dywysoges, rhaid i mi fynd
ar unwaith."

   Fe glywaist sôn am ffordd i mewn i Ogof y
Gorgon trwy Fwlch Athos yn y Gogledd.

- **Cer i 28**

7

Mae'r anghenfil yn codi ei ben asyn ac yn chwerthin. "Trugaredd?" mae e'n brefu. "Dyw'r anghenfil Teiffon byth yn maddau i neb!"

Mae cynffon y neidr yn gwasgu'n dynnach. Rwyt ti'n cael trafferth anadlu. Mae dy glustiau'n canu ac mae'r tywyllwch yn cau amdanat.

• **Mae dy antur wedi dod i ben. Os wyt ti eisiau dechrau eto, cer yn ôl i 1**

8

Rwyt ti'n goleuo dy ffagl ac yn mynd i mewn i'r ogof yng ngolau gwan y fflam.

Rwyt ti'n teithio trwy dwneli tywyll. Mae sŵn dŵr yn diferu yno, a sgrechian ac udo creaduriaid rhyfedd.

Mae dy ffagl wedi llosgi i'r gwaelod, ac wrth iddi ddiffodd, rwyt ti'n sylwi ar dwnnel bach wedi'i oleuo'n oren. Rwyt ti'n teithio ar hyd y twnnel, ac yn cyrraedd siambr wedi'i goleuo gan dân yn llosgi mewn hollt yn y graig. Ar fwrdd carreg, rwyt ti'n dod o hyd i delyn aur, helmed efydd, a tharian arian sgleiniog. Maen nhw'n amlwg yn bethau hudol. Tybed a ydyn nhw wedi eu melltithio?

- **Os wyt ti'n penderfynu cymryd y pethau, cer i 25**
- **Os wyt ti'n penderfynu gadael y pethau, cer i 42**

9

Gan wylio symudiadau Ewriale yn dy darian
loyw, rwyt ti'n taflu dy waywffon. Ond mae
Ewriale'n osgoi'r tafliad. Mae dy waywffon yn
methu'r targed ac yn disgyn i'r tywyllwch heb
wneud niwed.

Mae Ewriale'n llithro tuag atat, gan hisian.

• **Os wyt ti am geisio ymladd Ewriale gyda
dy gleddyf, cer i 23**
• **Os wyt ti am ddringo allan o'i gafael, cer i
18**

10

Rwyt ti'n pendroni dros y neges, cyn sylweddoli fod y llythrennau mewn ysgrifen arferol, ond eu bod wedi eu hysgrifennu tuag yn ôl. Wrth ddefnyddio dy darian fel drych, rwyt ti'n gallu darllen y neges.

PWY BYNNAG SYDD EISIAU TEITHIO
TRWY'R LABRINTH, DEWISWCH
Y TROAD CYNTAF I'R CHWITH,
AC YNA'R AIL DROAD I'R DDE
NES DOD I DDIWEDD Y DDRYSFA.

Rwyt ti'n gwenu – rwyt ti'n gwybod beth i'w wneud.

• **Cer i 24**

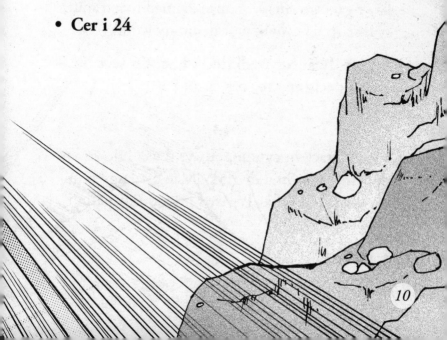

10

11

Rwyt ti'n ceisio torri bysedd neidr yr anghenfil gyda dy gleddyf. Rwyt ti'n torri sawl pen neidr ac mae'r rheiny'n disgyn i'r llawr, gan ddal i frathu a gwingo. Ond mae Teiffon yn cipio dy gleddyf gyda'i law arall.

- **Os wyt ti'n penderfynu troi a rhedeg, cer i 33**
- **Os wyt ti'n penderfynu taflu dy waywffon, cer i 21**

12

Mae'r frwydr yn fyr a chreulon. Gan redeg atat fel y gwynt, mae'r gelyn yn agor ei geg fawr ac yn dechrau brathu dy gorff. Rwyt ti'n cwympo i'r llawr gan sgrechian, ac mae dannedd y creadur, sy'n siarp fel cyllyll, yn cau am dy wddf.

- **Mae dy antur wedi dod i ben. Os wyt ti eisiau dechrau eto, cer yn ôl i 1**

13

Mae'r Oracl yn cytuno. "Rwyt ti wedi dewis yn ddoeth," mae hi'n dweud. "Mae dy dasg yn un bwysig. Fe alwaf ar Pegasws i ddod i dy gario i Tenarws."

- **Cer i 17**

14

Rwyt ti'n gallu gweld adlewyrchiad Ewriale ym metel disglair dy darian, ond nid yw ei llygaid ofnadwy yn effeithio arnat ti. Mae gwallt neidr Ewriale yn gwingo a hisian wrth iddi sylweddoli fod ei phŵer marwol wedi methu.

Mae hi'n llithro'n ôl i mewn i hollt yn y graig i guddio.

- **Os wyt ti'n penderfynu ei denu hi allan i fan agored, cer i 31**
- **Os wyt ti'n penderfynu ei dilyn hi, cer i 34**

15

Mae'r twnnel creigiog yr wyt ti wedi bod yn teithio trwyddo yn rhannu sawl gwaith. Rwyt ti'n mynd i mewn i labyrinth – drysfa danddaearol.

- **Os wyt ti eisiau dewis y twnnel nesaf ar y dde, cer i 5**
- **Os wyt ti eisiau dewis y twnnel nesaf ar y chwith, cer i 38**

16

Rwyt ti'n hwylio allan i'r môr, ond mae storm fawr yn codi. Mae'r tonnau fel mynyddoedd o ddŵr, ac yn bygwth dryllio'r llong. Mae taranau'n rhuo uwchben. Mewn fflach o fellt, rwyt ti'n gweld creigiau peryglus yn codi o'r môr yn union o dy flaen. Mae'r capten yn ceisio llywio'r llong oddi wrth y creigiau, ond mae'n rhy hwyr. Mae'r llong yn torri'n ddarnau mân. Rwyt ti a'r morwyr sy'n dal yn fyw yn cael eich golchi i'r lan.

- **Cer i 39**

17

Mae'r Oracl yn dy arwain i ben bryn cyfagos. Cyn hir, rwyt ti'n clywed curiad adenydd anferth. Mae Pegasws, y ceffyl sy'n hedfan, wedi cyrraedd.

Rwyt ti'n gafael mewn ffagl olew, fflasg o ddŵr a chwdyn o fwyd ar gyfer dy siwrne. Rwyt ti'n codi dy gleddyf a dy waywffon ac yn neidio ar gefn Pegasws. Gyda'ch gilydd, rydych chi'n hedfan tua'r de. Mae'r awyr a'r cymylau'n rhuthro heibio wrth i chi hedfan dros fynyddoedd, ar draws y môr, a heibio i ynysoedd.

Rwyt ti'n cyrraedd gwaelod mynydd garw, yn anwesu gwddf Pegasws, ac yn dweud, "Diolch, fy ffrind." Mae Pegasws yn gweryru, ac yna'n hedfan i ffwrdd.

Rwyt ti'n camu i mewn i geunant cul ar waelod mynydd Tenarws. Wrth i ti symud ymlaen, mae'r ffordd yn dywyll a bygythiol. Rwyt ti wedi cyrraedd mynedfa Ogof y Gorgon. Rwyt ti'n clywed synau rhyfedd i mewn yno – sgrechiadau a bloeddiadau ofnadwy, a chwerthin gwallgof sy'n oeri dy waed.

- **Os wyt ti'n mynd i mewn i'r ogof, cer i 8**
- **Os wyt ti eisiau troi yn ôl, cer i 39**

18

Wrth i ti ddringo waliau anwastad yr ogof, rwyt ti'n gweld hollt yn y creigiau uwchben. Mae golau'r haul yn disgleirio trwyddo.

Mae Ewriale yn gwatwar. "Ie'r llwfrgi! Dacw'r ffordd allan. Gad y dywysoges yma, ac achuba dy hun!"

- **Os wyt ti eisiau dianc, cer i 39**
- **Os wyt ti'n penderfynu aros i frwydro, cer i 20**

19

Rwyt ti'n cynnig diod i'r rhyfelwr o dy fflasg ddŵr.

"Diolch, ffrind," mae e'n sibrwd. "Rhaid i ti adael nawr, oherwydd fe fydda i'n marw cyn bo hir. Ond gwranda, cyn i mi deithio i'r lle ofnadwy yma, fe ddywedodd hen ŵr wrtha i sut i ddod allan o'r ddrysfa. Rhaid i ti ddewis y coridor cyntaf ar y chwith, ac yna'r ail ar y dde bob amser, a byddi'n llwyddo i ddianc."

Mae llygaid y rhyfelwr yn cau ac mae ei ben yn cwympo'n ôl. Dyw e ddim yn siarad eto.

Rwyt ti'n ei adael a mynd yn dy flaen.

- **Cer i 24**

20

Rwyt ti'n chwerthin. "Nid llwfrgi ydw i, Ewriale. Ildia i mi, os wyt ti eisiau byw!" Mae Ewriale'n hisian yn wyllt ac yn dechrau dringo ar dy ôl.

Rwyt ti'n dringo i ben craig. Mae carreg enfawr yno, yn cydbwyso ar ymyl y graig. Rwyt ti'n rhoi dy gefn yn erbyn wal yr ogof ac yn gwthio'r garreg gyda dy draed. Mae dy gyhyrau ar dân, a'r chwys yn tywallt allan ohonot. Mae dy galon yn curo fel gordd. Rwyt ti ar fin rhoi'r gorau iddi pan mae'r garreg yn dechrau symud. Rwyt ti'n gwthio'n galetach eto, ac mae'r garreg yn cwympo dros yr ymyl. Dyw Ewriale ddim yn sylweddoli ei bod hi mewn perygl nes ei bod hi'n rhy hwyr. Mae'r garreg yn cwympo arni, gan wasgu'r anghenfil i farwolaeth.

• **Cer i 50**

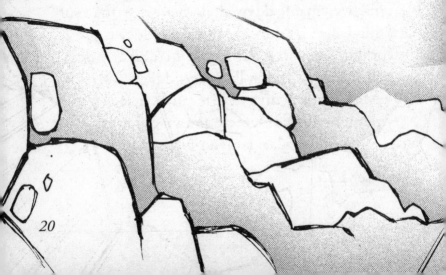

21

...ond un cyfle gei di i daflu dy waywffon a
...add yr anghenfil. Rwyt ti'n osgoi'r crafangau,
gan chwilio am dy gyfle. O'r diwedd, mae'n
bosibl i ti daflu'n gywir.

Rwyt ti'n hyrddio dy waywffon i mewn i
lygad chwith yr anghenfil. Mae Teiffon yn
sgrechian mewn poen. Yna, mae'r ogof gyfan yn
ysgwyd a'r stalactidau'n siglo wrth i Teiffon
gwympo i'r llawr yn farw.

• **Cer i 26**

22

"Mae eich merch tu hwnt i unrhyw gymorth,"
rwyt ti'n dweud wrth y Brenin. "Dim ond ffŵl,
nid arwr, fyddai'n mentro mynd i'w hachub."

Rwyt ti'n gadael y palas. Ond mae hen ŵr
dall yn dy rwystro yn y stryd. Mae e'n cydio yn
dy fraich ac yn dweud, "Nid yw'r sawl sy'n
gwrthod helpu plentyn mewn angen yn haeddu
cael ei alw'n arwr."

"Sut wyt ti'n gwybod beth ydw i newydd ei
wneud?" rwyt ti'n holi.

"Mae'r dall yn gweld rhai pethau sy'n
anweledig i bawb arall," mae'r hen ŵr yn ateb.

Rwyt ti'n cywilyddio, ac yn gofyn iddo beth ddylet ti ei wneud.

"Cer i weld yr Oracl. Fe fydd hi'n gallu dy arwain at y llwybr cywir."

• **Os wyt ti'n penderfynu mynd i weld yr Oracl, cer i 44**

• **Os wyt ti am anwybyddu cyngor yr hen ŵr, cer i 6**

23

Rwyt ti'n rhuthro tuag at Ewriale gyda dy gleddyf.

Mae cynffon yr anghenfil yn chwipio tuag atat ac yn dy gnocio ar draws yr ogof, gan dy daflu i mewn i'r wal garreg galed. Does gennyt ti ddim arfau nawr.

• **Os wyt ti eisiau ymladd Ewriale gyda dy ddwylo, cer i 41**

• **Os hoffet ti ddringo allan o'i chyrraedd, cer i 18**

24

Rwyt ti'n pasio trwy'r ddrysfa yn ddiogel. Ar ei diwedd, mae dau ddrws yn cael eu gwarchod gan sgerbydau byw. Uwchben y drysau, mae'r geiriau:

MAE UN DRWS YN ARWAIN ALLAN O'R LABYRINTH, A'R LLALL YN ARWAIN AT FARWOLAETH.

CEI OFYN TRI CHWESTIWN I'R CEIDWAID. MAE UN CEIDWAD YN DWEUD CELWYDD BOB AMSER, A'R LLALL YN DWEUD Y GWIR BOB AMSER.

DEWISA DY GWESTIYNAU'N DDOETH, DEITHIWR.

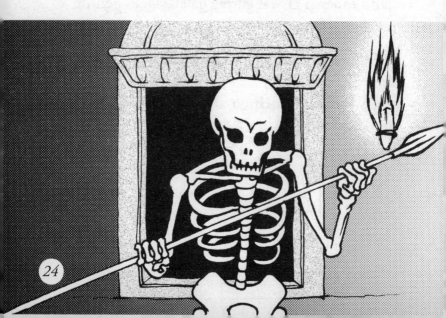

24

Rwyt ti'n gofyn i geidwad y drws chwith pa un yw'r ffordd allan. Mae e'n pwyntio at y drws mae e'n ei warchod ac yn dweud, "Ffordd yma."

Rwyt ti'n gofyn i geidwad y drws ar y dde pa un yw'r ffordd allan. Mae e'n pwyntio at y drws mae e'n ei warchod ac yn dweud, "Ffordd yma."

Rwyt ti wedi defnyddio dau o'r tri chwestiwn.

• **Os wyt ti'n penderfynu dewis y drws ar y chwith, cer i 30**

• **Os wyt ti'n penderfynu dewis y drws ar y dde, cer i 49**

• **Os wyt ti'n penderfynu meddwl am y pos eto cyn dewis, cer i 43**

25

Rwyt ti'n gwisgo'r helmed ac yn cymryd y delyn a'r darian. Wrth i ti adael y siambr, rwyt ti'n sylweddoli y gelli di weld yn y tywyllwch nawr dy fod ti'n gwisgo'r helmed.

Ond wrth i ti droi cornel, rwyt ti'n clywed sŵn ysgyrnygu sy'n oeri dy waed. Mae ci dychrynllyd yn cyrcydu o dy flaen, ac mae ganddo dri phen! Cerberws yw hwn, ceidwad yr is-fyd.

Rwyt ti wedi clywed fod y canwr Orffews wedi gwneud i Cerberws gysgu wrth ganu ei delyn: tybed a fyddai hynny'n gweithio i ti?

- **Os wyt ti'n canu'r delyn, cer i 37**
- **Os wyt ti'n ymladd Cerberws, cer i 12**

26

Gan adael corff Teiffon, rwyt ti'n symud ymlaen, yn bellach i mewn i'r ogof.

Cyn bo hir, rwyt ti'n cyrraedd yr ogof fwyaf a welaist ti erioed. Ym mhen pellaf yr ogof, wedi ei rhwymo i biler carreg, mae merch ifanc – dyma'r dywysoges Theia. Mae hi'n falch iawn o dy weld.

"Ro'n i'n gwybod y byddai rhywun yn dod i fy achub i!" mae hi'n llefain. "Brysia! Helpa fi i ddianc o'r cadwynau hyn."

- **Os wyt ti'n penderfynu rhyddhau Theia ar unwaith, cer i 4**
- **Os wyt ti'n edrych o amgylch yr ogof yn gyntaf, cer i 47**

27

Rwyt ti'n hyrddio dy gleddyf yn erbyn breichiau'r anghenfil, ond mae Teiffon yn eu tynnu o'r ffordd. Mewn amrantiad, mae ei gynffon neidr wedi cau amdanat. Mae'r gynffon yn tynhau. Rwyt ti'n gollwng dy gleddyf, dy waywffon, a dy darian oherwydd y boen. Fedri di ddim anadlu. Rwyt ti'n cael dy wasgu i farwolaeth.

- **Os wyt ti'n penderfynu brathu'r anghenfil, cer i 36**
- **Os wyt ti eisiau gofyn i Teiffon faddau i ti, cer i 7**

27

28

Rwyt ti'n cerdded tua'r gogledd ac yn cyrraedd pentref pysgota. Rwyt ti'n perswadio capten llong i fynd â thi ar draws y môr, ar ran gyntaf y daith. Yn anffodus, pan ddaw'r amser i adael, mae'r tywydd yn ddrwg. Mae'r hen forwyr sy'n eistedd ar wal yr harbwr yn ysgwyd eu pennau.

"Mae storm ofnadwy ar y ffordd," mae un hen forwr yn dweud. "Well i ti beidio gadael y lan nes bydd y storm wedi pasio."

- **Os wyt ti am anwybyddu'r hen forwr a chychwyn ar dy daith, cer i 16**
- **Os wyt ti am wrando ar ei gyngor ac aros, cer i 48**

29

Rwyt ti'n cyrraedd ogof sy'n llawn trysor. Mae aur, diemwntau a thlysau gwerthfawr eraill wedi'u gwasgaru ar hyd y llawr ac wedi'u pentyrru'n uchel yng nghanol yr ogof.

- **Os wyt ti'n penderfynu mynd â chymaint ag y medri o'r trysor, tro i 3**
- **Os wyt ti'n penderfynu gadael y trysor a mynd yn dy flaen, tro i 15**

30

Yr ochr arall i'r drws, mae'r twnnel yn lledu. Does yna ddim coridorau eraill. Rwyt ti wedi dianc o'r ddrysfa – ond nid yw dy waith ar ben eto.

- **Cer i 45**

31

Rwyt ti'n troi i edrych yn ôl.

"O, na!" rwyt ti'n gweiddi. "Dyma'r anghenfil Teiffon yn dod! Alla i ddim ymladd yn erbyn Teiffon ac Ewriale ar yr un pryd."

Dyw Ewriale ddim yn gwybod dy fod ti wedi lladd Teiffon. Mae hi'n meddwl ei fod e ar ei ffordd i'w helpu hi, ac mae hi'n dod allan o'i chuddfan.

- **Os wyt ti eisiau taflu dy waywffon ati, cer i 9**
- **Os wyt ti eisiau rhuthro arni gyda dy gleddyf, cer i 23**

32

Rwyt ti'n gorwedd ar y crwyn ffwr ac yn cysgu.

Yna'n sydyn, rwyt ti'n hollol effro. Mae rhywun yn canu. Mae merch ifanc yn dod i mewn i'r siambr. Mae ei hwyneb fel mwgwd a'i llygaid yn

wag. Rwyt ti'n ceisio codi, ond mae rhywbeth
am ei chanu wedi dy wneud di'n wan, yn union
fel y gwnaeth y delyn i Cerberws. Fedri di ddim
symud modfedd.

Rwyt ti'n cael ofn wrth sylweddoli mai ellylles
yw'r ferch ifanc – fampir ofnadwy sy'n sugno
gwaed – a thi yw ei hysglyfaeth nesaf.

• **Mae dy antur ar ben. Os wyt ti eisiau
dechrau eto, tro'n ôl i 1**

33

Rwyt ti'n ochrgamu rhwng y stalagmidau, yn
ceisio dianc. Ond mae'r anghenfil yn adnabod
yr ogof, ac yn gallu symud yn gyflymach dros y
llawr anwastad nag wyt ti. Wrth i ti ruthro tua'r
allanfa, rwyt ti'n baglu ac yn syrthio. Y peth olaf
wyt ti'n ei weld yw bysedd neidr Teiffon yn
estyn amdanat, yn dy dynnu i'w afael marwol.

• **Mae dy antur ar ben. Os wyt ti eisiau
dechrau eto, cer yn ôl i 1**

34

Rwyt ti'n edrych yn syth i lygaid y gorgon.

Mae edrych i lygaid Ewriale yn farwol. Rwyt
ti'n cael dy barlysu ar unwaith, yn methu
symud. Cyn bo hir, bydd pob rhan ohonot yn
troi yn garreg, hyd yn oed dy galon.

• **Rwyt ti'n gerflun arall yng nghasgliad
Ewriale. Os wyt ti eisiau dechrau'r antur eto,
tro'n ôl i 1**

35

Mae'r Brenin wrth ei fodd. "Rwy'n gwybod dy fod ti'n ddewr," mae e'n dweud. "Ond yn erbyn Ewriale a Teiffon, fydd dewrder ddim yn ddigon. Cer i weld yr Oracl. Bydd hi'n gallu dweud wrthyt sut i ladd y gorgon."

- **Os wyt ti'n derbyn cyngor y Brenin ac yn mynd i weld yr Oracl, cer i 44**
- **Os wyt ti'n penderfynu anwybyddu ei gyngor, cer i 6**

36

Rwyt ti'n brathu'n ffyrnig ar gynffon yr anghenfil. Rwyt ti'n tagu ar waed y creadur, ac mae ei gnawd yn blasu'n afiach, ond rwyt ti'n gwybod na elli di adael fynd ar unrhyw gyfrif. Mae dy ddannedd yn suddo'n bellach i mewn i'r cnawd.

Mae'r anghenfil yn rhuo ac yn gollwng ei afael arnat. Rwyt ti'n tynnu dy hun oddi wrtho, ac yn codi dy gleddyf a'th waywffon.

- **Os wyt ti'n dal ati i ymladd gyda dy gleddyf, cer i 11**
- **Os wyt ti'n taflu dy waywffon, cer i 21**

37

Wrth i ti dynnu dy fysedd ar hyd tannau'r delyn, rwyt ti'n sylwi fod yr offeryn hudol yn canu ei hun. Mae Cerberws yn dechrau teimlo'n gysglyd. Mae ei ysgyrnygu'n tawelu. Fesul un, mae pob un o'r tri phen yn gostwng. Mae'r ci anferth yn gorwedd ar lawr yr ogof, yn cysgu.

Rwyt ti'n gosod y delyn, sy'n dal i ganu, ar bwys y ci cysglyd. Yn ofalus, rwyt ti'n llithro heibio i Cerberws ac yn mynd yn dy flaen drwy'r twnnel.

Cyn bo hir, mae'r llwybr yn rhannu.

- **Os wyt ti'n dewis y coridor sy'n arwain i fyny, cer i 46**
- **Os wyt ti'n dewis y coridor sy'n arwain i lawr, cer i 29**

38

Rwyt ti'n dod o hyd i siambr gyda neges ryfedd
wedi ei cherfio ar y graig:

PWY BYNNAG SYDD EISIAU TEITHIO
TRWY'R LABYRINTH, DEWISWCH Y TROAD
CYNTAF I'R CHWITH, AC YNA'R AIL DROAD
I'R DDE NES DOD I DDIWEDD Y DDRYSFA.

Rwyt ti'n crafu dy ben. Mae rhywun wedi
mynd i drafferth i gerfio'r neges hon yn y graig,
ond dwyt ti ddim yn gallu darllen gair ohoni.

• **Os wyt ti'n penderfynu mai dwli yw'r
neges, ac y dylet ti ei hanwybyddu, cer i 49**
• **Os wyt ti eisiau ceisio deall y neges,
cer i 10**

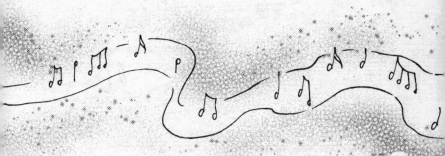

39

Rwyt ti'n penderfynu bod unrhyw beth yn well na'r hunllef hwn. Rwyt ti'n troi dy gefn ar y cwbl. Rwyt ti'n teithio'n ôl i Thebau dros fynyddoedd ac anialdiroedd. Mae'n rhaid i ti werthu dy arfau a dy arfwisg er mwyn prynu bwyd.

Erbyn i ti gyrraedd y ddinas, rwyt ti'n edrych fel sgerbwd ar ddwy droed. Mae'r Brenin yn dy anfon i ffwrdd. "Fe adewaist ti Thebau yn rhyfelwr dewr," mae e'n gweiddi arnat, "a dod yn ôl fel cardotyn. Rwyt ti wedi siomi fy merch. Rwyt ti wedi fy siomi i. Dwyt ti ddim yn arwr."

- **Mae dy antur ar ben. Os wyt ti eisiau dechrau eto, tro'n ôl i 1**

40

Rwyt ti'n rhuthro at frest yr anghenfil gyda dy gleddyf. Mae'r trawiad yn llwyddo – rwyt ti wedi tynnu gwaed! Ond dim ond crafiad yw hyn i Teiffon, a nawr mae e'n grac. Mae e'n rhuo, ac yn estyn amdanat ti, gyda'i fysedd neidr yn hisian a gwingo.

- **Os wyt ti eisiau dal ati i ymladd gyda dy gleddyf, cer i 11**
- **Os wyt ti'n penderfynu taflu dy waywffon, cer i 21**
- **Os wyt ti'n penderfynu troi a ffoi, cer i 33**

41

Mae Ewriale'n chwerthin. "Y ffŵl!" mae hi'n gweiddi. "Dyw dy nerth dynol truenus yn fawr o her i mi!"

Mae hi'n rhwygo'r darian o dy ddwylo ac yn gwneud i ti droi i'w hwynebu.

- **Cer i 34**

42

Rwyt ti'n gadael yr eitemau ac yn mynd yn ôl i'r coridor. Tu allan i'r siambr, fedri di weld dim byd heb y ffagl. Ond rwyt ti'n gallu clywed sŵn traed – neu bawennau – anferth yn agosáu. Mae rhyw greadur marwol yn prowlan yn y twnnel.

- **Os wyt ti eisiau dianc tra medri di, cer i 39**
- **Os wyt ti eisiau mynd yn ôl i mewn i'r siambr a chasglu'r helmed, y delyn a'r darian, cer i 25**
- **Os wyt ti eisiau ymladd, cer i 12**

43

Ar ôl meddwl, rwyt ti wedi datrys pos y drysau.

Rwyt ti'n gofyn i geidwad y drws chwith, "Pe bawn i'n gofyn i'r ceidwad arall pa ddrws sy'n arwain allan o'r ddrysfa, beth fyddai e'n ei ddweud?"

Mae'r ceidwad yn ateb, "Fe fyddai e'n dweud mai'r drws ar y dde sy'n arwain allan o'r ddrysfa."

Rwyt ti'n dal i siarad. "Os mai ti yw'r ceidwad sy'n dweud y gwir bob amser, yna fe fyddai'r ceidwad arall yn dweud celwydd, ac fe fyddai'r drws ar y dde yn arwain i farwolaeth.

"Ac os mai ti yw'r ceidwad sy'n dweud celwydd bob amser, yna byddai'r ceidwad arall yn dweud mai'r drws ar y chwith sy'n arwain allan o'ma, ac fe fyddai'n dweud y gwir.

"Y naill ffordd neu'r llall, mae'r drws ar y dde yn arwain i farwolaeth a'r drws ar y chwith yn arwain allan o'ma."

Mae'r ceidwaid yn camu o'r ffordd ac rwyt ti'n gadael trwy'r drws ar y chwith.

• **Cer i 30**

44

Rwyt ti'n mynd i weld yr Oracl ac yn gofyn iddi sut mae llwyddo gyda'r gorchwyl. Mae'r Oracl yn dweud bod dwy fynedfa i Ogof y Gorgon. Mae un fynedfa yng Ngheunant Tenarws yn y de, a'r llall ym Mwlch Athos yn y Gogledd.

"Defnyddia fynedfa'r de," mae'r Oracl yn dweud. "Dim ond anlwc gei di yn y Gogledd."

- **Os wyt ti'n derbyn cyngor yr Oracl ac yn teithio i'r de, cer i 13**
- **Os wyt ti'n anwybyddu ei chyngor, ac yn teithio i'r gogledd, cer i 28**

45

Mae'r twnnel yn lledu eto ac yn datblygu'n ogof anferth, gyda stalactidau'n hongian o'r to, a stalagmidau'n codi o'r llawr.

Mae rhu dychrynllyd yn atsain trwy'r ogof. Rwyt ti'n rhoi dy ddwylo dros dy glustiau.

Yng nghanol yr ogof, mae creadur anferth gyda phen asyn, corff dyn a chynffon neidr. Yr anghenfil Teiffon yw hwn. Mae e'n estyn amdanat gan ruo, â'i fysedd neidr yn gwingo a hisian.

- **Os wyt ti eisiau ymladd Teiffon, cer i 2**
- **Os wyt ti eisiau rhedeg, cer i 33**

46

Rwyt ti'n cyrraedd siambr arall. Mae yna nant yn rhedeg trwyddi, a sŵn hyfryd bwrlwm dŵr. Mae yna lwyfan carreg, â chrwyn ffwr arni, sy'n edrych fel gwely cyfforddus. Dwyt ti heb gysgu ers amser maith, ac rwyt ti wedi blino.

- **Os wyt ti'n penderfynu aros yn y siambr a chysgu, tro i 32**
- **Os wyt ti'n penderfynu gadael y siambr a mynd yn dy flaen ar unwaith, tro i 15**

47

Gan anwybyddu'r dywysoges, rwyt ti'n cydio yn dy darian a'i gosod ar dy fraich. Rwyt ti'n tynnu dy gleddyf. Rwyt ti'n edrych o amgylch yr ogof, gan syllu i'r cysgodion.

Daw sŵn hisian o ogof fechan. Mae Ewriale yma! Rwyt ti'n paratoi i frwydro.

- **Os wyt ti am gwrdd ag Ewriale wyneb yn wyneb, cer i 34**
- **Os wyt ti'n penderfynu edrych ar adlewyrchiad Ewriale yn dy darian, cer i 14**

48

Rwyt ti'n gwrando ar gyngor yr hen forwr, ac yn penderfynu aros nes bydd y storm yn cilio. Ar ôl dyddiau, mae'r gwynt yn dal i ruo, a'r môr yn dal yn wyllt.

Rwyt ti'n penderfynu nad wyt ti'n gallu mynd yn bellach heb help yr Oracl, ac rwyt ti'n teithio i'w gweld hi. "Alla i ddim cyrraedd Ogof y Gorgon ar y môr," rwyt ti'n dweud. "Dywedwch wrtha i beth i wneud."

"Rhaid i ti hedfan tua'r de ar Pegasws, i Tenarws."

Rwyt ti'n plygu dy ben. "O'r gorau."

"Pob bendith ar dy daith."

• **Cer i 17**

48

Gan wybod nad oes amser i'w golli, rwyt ti'n dal ati. Ond cyn bo hir, rwyt ti ar goll yn y ddrysfa o dwneli.

Yn sydyn, mae haid o greaduriaid, sy'n debyg i ystlumod mawr, yn hedfan i lawr y coridor atat ti. Maen nhw'n cnocio'r helmed efydd oddi ar dy ben. Heb yr helmed, rwyt ti'n ddall ar unwaith. Yn y tywyllwch, rwyt ti'n baglu, yn cwympo i dwll diddiwedd, i lawr i grombil y ddaear ac i farwolaeth.

• **Mae dy antur ar ben. Os wyt ti eisiau dechrau eto, cer yn ôl i 1**

50

Rwyt ti'n rhyddhau'r dywysoges. Rwyt ti'n ei
helpu hi i ddringo wal yr ogof ac allan i olau
dydd. Mae Pegasws yn aros amdanoch chi yno.

Rwyt ti a Theia yn dringo ar gefn y ceffyl ac
yn hedfan yn ôl i Thebau gyda'ch gilydd.

Mae pobl y ddinas yn falch o weld eu
tywysoges yn ôl yn ddiogel. Maen nhw'n dy
gario i'r palas yn orfoleddus, ble mae'r Brenin a'r
Frenhines yn addo gwobr fawr i ti.

Rwyt ti wedi llwyddo. Rwyt ti'n arwr!

Arwr yr Ail Ryfel Byd

Steve Barlow – Steve Skidmore

Darluniau gan Sonia Leong

Addasiad gan Catrin Hughes

Mis Mai 1944 yw hi. Rwyt ti'n asiant cudd gyda'r Gwasanaeth Cudd-wybodaeth Prydeinig (GCP) – uned gyfrinachol iawn. Rwyt ti'n gallu siarad sawl iaith, ac yn arbenigwr ar ddefnyddio gwahanol arfau. Yn ystod y rhyfel yn erbyn yr Almaen, rwyt ti wedi cymryd rhan mewn nifer o gyrchoedd llwyddiannus tu ôl i ffiniau'r gelyn.

Yn ystod y chwe mis diwethaf, rwyt ti wedi bod yn ysbïo yng ngogledd Ffrainc er mwyn paratoi ar gyfer ymosodiad y Cynghreiriaid. Nawr, ar ôl cwblhau'r dasg ddiweddaraf, rwyt ti'n ôl yn Llundain ac yn cael gwyliau o'r gwaith.

Fodd bynnag, mae galwad ffôn gan y Cadfridog Alan Cummings, pennaeth dy adran yn y GCP, yn tarfu ar dy wyliau.

"Mae'n ddrwg gen i, gyfaill," mae e'n dweud. "Ond mae yna broblem wedi codi, ac mae angen i ti ddod i mewn i'r pencadlys. Rwy wedi danfon gyrrwr draw atat. Fe fydd e yno cyn bo hir." Mae e'n dod â'r alwad i ben, gan dy adael yn meddwl tybed beth yw'r broblem newydd hon.

DEWIS DY
DYNGED

ARWR

Arwr yr Ail Ryfel Byd

Steve Barlow – Steve Skidmore
Addasiad Catrin Hughes